MORE HIDE & SP
WELSH

Catherine Bruzzone and Sam Hutchinson
Translated by Elin Meek
Illustrated by Louise Comfort

RILY

Fy nhŷ - My house

1 Mae Dad **yn y gegin**.	1 Dad is **in the kitchen**.
2 Dwi'n darllen yn **y lolfa**.	2 I am reading in **the lounge**.
3 Mae fy **ystafell wely** i'n fach.	3 **My bedroom** is small.
4 Mae dau **doiled**.	4 There are two **toilets**.
5 Mae'**r ystafell ymolchi**'n fawr.	5 **The bathroom** is big.
6 Mae'**r nenfwd** yn uchel.	6 **The ceiling** is high.
7 Mae Mam yn dod i lawr **y grisiau**.	7 Mum is coming down **the stairs**.
8 Mae'**r ardd** y tu ôl i'r tŷ.	8 **The garden** is behind the house.
9 Mae aderyn ar **y to**.	9 There is a bird on **the roof**.

y gegin
uh geh-gihn

y lolfa
uh lohl-vah

yr ystafell wely
uhr uh-stah-vell ooeh-lee

y toiled
uh toy-led

yr ystafell ymolchi
uhr uh-stah-vell uh-mohl-key

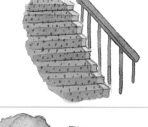

y nenfwd
uh nen-vood

y grisiau
uh grease-ee-eh

yr ardd
uhr ahrth

y to
uh toh

3

Yn ystod yr wythnos - During the week

1 **Dydd Llun**, rwy'n mynd i'r ysgol.	1 On **Monday**, I go to school.
2 **Dydd Mawrth**, rwy'n mynd i nofio.	2 On **Tuesday**, I go swimming.
3 **Dydd Mercher**, rwy'n mynd i'r sinema.	3 On **Wednesday**, I go to the cinema.
4 **Dydd Iau**, rwy'n chwarae pêl-droed.	4 On **Thursday**, I play football.
5 **Dydd Gwener**, rwy'n gwylio'r teledu.	5 On **Friday**, I watch television.
6 **Dydd Sadwrn**, rwy'n mynd i dŷ fy ffrind.	6 On **Saturday**, I go to my friend's house
7 **Dydd Sul**, rwy'n mynd i weld Mam-gu/Nain.	7 On **Sunday**, I visit my grandmother.
8 **Heddiw**, rwy'n coginio swper.	8 **Today**, I am cooking supper.
9 **Yfory**, rwy'n mynd i barti.	9 **Tomorrow**, I am going to a party.

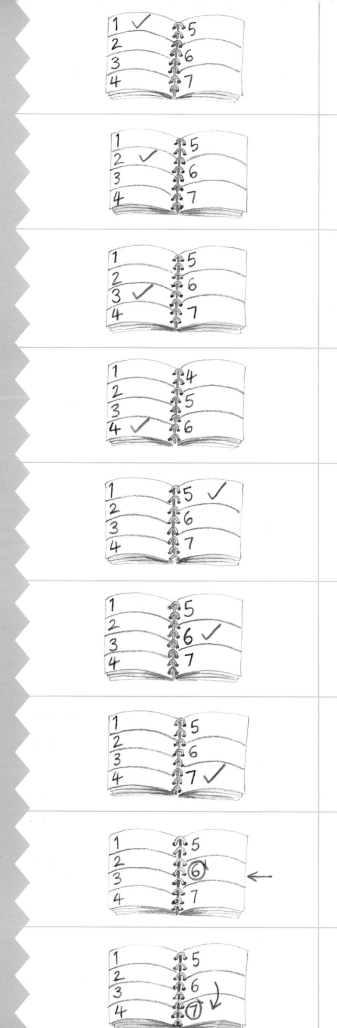

dydd Llun

deeth lleen

dydd Mawrth

deeth mah-oorth

dydd Mercher

deeth <u>mare</u>-kehr

dydd Iau

deeth y-eye

dydd Gwener

deeth goo-<u>ehn</u>-ehr

dydd Sadwrn

deeth <u>sad</u>-oorn

dydd Sul

deeth seal

heddiw

<u>heh</u>-thew

yfory

uh-<u>voh</u>-ree

5

Ymweld â ffrind - Visiting a friend

1	**Helô**, Mari. Dere/Tyrd i mewn.	1	**Hello**, Mary. Come in.
2	**Ydw**, rwy'n hoffi'r gêm gyfrifiadur hon.	2	**Yes**, I like this computer game.
3	**Nac ydw**, dydw i ddim yn hoffi'r CD hwn.	3	**No**, I don't like this CD.
4	Ga' i ddiod **plis/os gwelwch yn dda**?	4	Can I have a drink, **please**?
5	**Dyma ti**. Bydd yn ofalus!	5	**Here you are**. Be careful!
6	Wwps, **sorri/mae'n ddrwg gen i**!	6	Oops, **sorry**!
7	**Popeth yn iawn**. Paid â phoeni.	7	**That's okay**. Don't worry.
8	**Hwyl fawr**, dere/tyrd eto yfory.	8	**Goodbye**, come again tomorrow.
9	**Diolch**. Gwela' i di yfory!	9	**Thanks**. See you tomorrow!

helô

hello

ydw

uh-do

nac ydw

nack uh-do

**plis /
os gwelwch yn dda**

please / ohs goo-ehloock uhn thah

dyma ti

duh-mah tee

mae'n ddrwg gen i / sorri

maheen throog gen ee / sorry

popeth yn iawn

poh-pehth uhn yawhn

hwyl fawr

hooeel vahoor

diolch

deeohlch

Yn y parc - In the park

1	Mae'**r ferch** ar y **siglen**.		1	The **girl** is on the **swing**.
2	Mae Huw a Cadi ar **y si-so**.		2	Huw and Cadi are on the **see-saw**.
3	Mae ci ar **y llwybr**.		3	There is a dog on **the path**.
4	Mae'r **bachgen** yn cydio yn y **barcut**.		4	**The boy** is holding **the kite**.
5	Mae'r alarch yn nofio ar **y llyn**.		5	The swan is swimming on **the lake**.
6	Mae Mam ar **y fainc**.		6	Mum is on **the bench**.
7	Mae'**r plentyn** yn rhedeg at ei fam.		7	The **child** is running towards his mum.

merch

mehrkh

siglen

sea-glen

si-so

see-saw

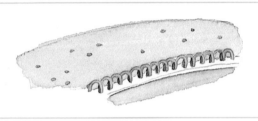

llwybr

llooee-buhr

bachgen

bahkh-gehn

barcut

bahr-keet

llyn

lleen

mainc

maheenk

plentyn

plehn-teen

9

Beth am chwarae? - Let's play!

1 Mae'r timau'n chwarae **pêl-droed**.	1 The teams are playing **football**.
2 Mae fy ffrindiau'n chwarae **tennis bwrdd**.	2 My friends are playing **table tennis**.
3 Mae fy nhad yn hoffi **sgio**.	3 My father likes **skiing**.
4 Mae fy mrawd yn **pysgota** yn y llyn.	4 My brother is **fishing** in the lake.
5 Mae fy chwaer yn dda mewn **gymnasteg**.	5 My sister is good at **gymnastics**.
6 Mae Marc yn dda mewn **athletau**.	6 Mark is good at **athletics**.
7 Mae fy mam yn **beicio**.	7 My mother is **cycling**.
8 Rwy'n **nofio** bob dydd.	8 I **swim** every day.
9 Mae'r bechgyn yn chwarae **pêl-fasged**.	9 The boys are playing **basketball**.

pêl-droed

pehl-droheed

tennis bwrdd

tennis boorth

sgio

ski-oh

pysgota

pus-got-ah

gymnasteg

gym-nahst-egg

athletau

ahth-let-eye

beicio

bake-eeoh

nofio

noh-vee-oh

pêl-fasged

pehl-vahs-gehd

Yn y dref - In the town

1	Mae to'**r ysgol** yn wyrdd.	1	The **school** has a green roof.
2	Mae **tŷ** gwyn ar y gornel.	2	There is a white **house** on the corner.
3	Mae'r trên yn gadael **yr orsaf**.	3	The train is leaving the **station**.
4	Mae **swyddfa'r post** y tu ôl i'r **archfarchnad**.	4	The **post office** is behind the **supermarket**.
5	Mae llawer o **siopau**.	5	There are lots of **shops**.
6	Mae'r **ffatri**'n fawr iawn.	6	The **factory** is very big.
7	Mae ciw yn **y sinema**.	7	There is a queue at **the cinema**.
8	Mae'r **farchnad** yn brysur iawn.	8	The **market** is very busy.

ysgol

uhsg-ohl

tŷ

tee

gorsaf

gohr-sahv

swyddfa'r post

sooeeth-vah'r pohst

archfarchnad

ahrkh-fahrkh-nad

siop

shop

ffatri

fat-ree

sinema

cinema

marchnad

mahrkh-nad

Yn yr archfarchnad - At the supermarket

1 Does dim **bara**!	1 There's no **bread**!
2 Mae'r **wyau** wedi torri.	2 **The eggs** are broken.
3 Mae'r ci'n dwyn **y cig**.	3 The dog is stealing **the meat**.
4 Mae'r dyn yn torri'**r pysgod**.	4 The man is cutting **the fish**.
5 Mae'**r reis** wrth ymyl **y pasta**.	5 **The rice** is next to **the pasta**.
6 Mae'**r menyn** yn ddrud.	6 **The butter** is expensive.
7 Mae'r gath yn yfed **y llaeth/y llefrith**.	7 The cat is drinking **the milk**.
8 Mae Mam yn prynu **siwgr**.	8 Mum is buying **sugar**.

bara

bah-rah

wy

ooee

cig

keeg

pysgod

pus-gohd

reis

rehees

pasta

pas-ta

menyn

meh-neen

llaeth / llefrith

llaheeth / lleh-vreeth

siwgr

shoog-oor

Prynu ffrwythau - Buying fruit

1	Mae'r **afalau**'n wyrdd.	1	**The apples** are green.
2	Mae'r ddynes yn bwyta **eirinen wlanog**.	2	The woman is eating a **peach**.
3	Mae llawer o **geirios**.	3	There are lots of **cherries**.
4	Mae'r **orenau**'n llawn sudd.	4	**The oranges** are juicy.
5	Mae'r **pinafal** yn enfawr!	5	**The pineapple** is huge!
6	Mae **mangos** yn flasus iawn.	6	**Mangoes** are delicious.
7	Mae'r plentyn yn taflu'**r banana**.	7	The child is throwing **the banana**.
8	Mae'r aderyn eisiau'**r grawnwin**.	8	The bird wants **the grapes**.
9	Mae'**r mefus** yn goch.	9	**The strawberries** are red.

afal
ahv-ahl

eirinen wlanog
eheer-een-ehn oolahn-ohg

ceiriosen
keheer-eeohs-ehn

oren
ohr-ehn

pinafal
peen-ahv-ahl

mango
mango

banana
banana

grawnwin
grahoon-ooeen

mefusen
mehv-es-ehn

Siopa dillad - Shopping for clothes

1	Mae'r het yn rhy **fawr**.		1	The hat is too **big**.
2	Mae'r ffrog yn rhy **fach**.		2	The dress is too **small**.
3	Mae'r sgarff yn rhy **hir**.		3	The scarf is too **long**.
4	Mae'r trowsus yn rhy **fyr**.		4	The trousers are too **short**.
5	Mae'r gôt yn **ddrud**.		5	The coat is **expensive**.
6	Mae'r ffrog yn **hardd**.		6	The dress is **pretty**.
7	Mae'r ferch fach yn **hapus**.		7	The little girl is **happy**.
8	Mae'r bachgen bach yn **drist**.		8	The little boy is **sad**.
9	Mae'r hufen iâ yn **dda**.		9	The ice-cream is **good**.

mawr / fawr

mahoor / vahoor

bach / fach

bahkh / vahkh

hir

heer

byr / fyr

bir / vir

drud / ddrud

dreed / threed

hardd

harth

hapus

hah-pis

trist / drist

treest / dreest

da / dda

dah / thah

Sut mae'r tywydd? - What's the weather like?

1	Mae'r **haul** yn disgleirio ar lan y môr.	1	**The sun** is shining at the seaside.
2	**Mae hi'n boeth**.	2	**It's hot**.
3	Ond **mae hi'n bwrw glaw** ar y bryn.	3	**It's raining** on the hill.
4	Ac mae'**r cymylau**'n llwyd.	4	And **the clouds** are grey.
5	Ac mae'**r gwynt** yn gryf.	5	And **the wind** is strong.
6	Mae **storm** ofnadwy.	6	There is a terrible **storm**!
7	Ar y môr mae **niwl**.	7	On the sea there is **fog**.
8	**Mae hi'n oer** ac **mae hi'n bwrw eira** yn y mynyddoedd!	8	On the mountains **it's cold** and **it's snowing**!

haul
haheel

mae hi'n boeth
mahee heen boheeth

mae hi'n bwrw glaw
mahee heen <u>boor</u>-oo glahoo

cwmwl
<u>coom</u>-ool

gwynt
gooeent

storm
stohrm

niwl
neeool

mae hi'n oer
mahee heen oieer

mae hi'n bwrw eira
mahee heen <u>boo</u>-roo <u>eheer</u>-ah

Y flwyddyn - The year

1 Mae pedwar **tymor**.	1 There are four **seasons**.
2 Rwy'n hoffi'**r gwanwyn**.	2 I like **spring**.
3 Mae **mis Mawrth** yn wyntog.	3 **March** is windy.
4 Mae hi'n bwrw glaw yn aml ym **mis Ebrill**.	4 It often rains in **April**.
5 Mae llawer o flodau ym **mis Mai**.	5 There lots of flowers in **May**.
6 Rwy'n mynd ar fy ngwyliau yn **yr haf**.	6 In the **summer**, I go on holiday.
7 Blodyn **mis Mehefin** yw'r rhosyn.	7 **June**'s flower is the rose.
8 Mae pen-blwydd fy ffrind ym **mis Gorffennaf**.	8 My friend's birthday is in **July**.
9 Mae hi'n boeth ym **mis Awst**.	9 It's hot in **August**.

tymor
tuh-moor

y gwanwyn
uh gooahn-ooeen

mis Mawrth
mees mahoorth

mis Ebrill
mees ehbr-eell

mis Mai
mees mahee

yr haf
uhr hahv

mis Mehefin
mees meh-hehv-een

mis Gorffennaf
mees gohrff-ehnn-ahv

mis Awst
mees ahoost

Y flwyddyn - The year

1 Mae'r **hydref** yn dechrau ym **mis Medi**.	1 **Autumn** starts in **September**.
2 Ym **mis Hydref** mae'r dail yn cwympo.	2 In **October** the leaves fall.
3 Mae hi'n boeth ym **mis Tachwedd** yn Awstralia.	3 In Australia, it's hot in **November**.
4 Mae'r Nadolig ym **mis Rhagfyr**!	4 Christmas is in **December**!
5 Mae eira'n dod yn **y gaeaf**.	5 Snow comes in **winter**.
6 Mae hi'n oer ym **mis Ionawr**.	6 It is cold in **January**.
7 **Mis Chwefror** yw mis y carnifal.	7 **February** is carnival month.
8 Mae deuddeg **mis** mewn blwyddyn.	8 There are twelve **months** in the year.

	**yr hydref** uhr *huhd*-rev
	mis Medi mees *meh*-dee
	mis Hydref mees *huhd*-rev
	mis Tachwedd mees *tahkh*-ooeth
	y gaeaf uh *gay*-ahv
	mis Rhagfyr mees *rhahg*-veer
	mis Ionawr mees *iohn*-ahoor
	mis Chwefror mees *khooehv*-rohr
	mis mees

Tyfu llysiau - Growing vegetables

1 Mae wyth **taten**.	1 There are eight **potatoes**.
2 Mae'r **corn melys** yn felyn.	2 **The sweetcorn** is yellow.
3 Mae gan **y moron** ddail gwyrdd.	3 **The carrots** have green leaves.
4 Mae'r **bresych** yn grwn.	4 **The cabbages** are round.
5 Mae'r **corbwmpenni** a'r **planhigion wy** yn fawr.	5 **The courgettes** and **the aubergines** are big.
6 Mae'r **tomatos** a'r **seleri** yn y fasged.	6 **The tomatoes** and **the celery** are in the basket.
7 Mae'r malwod yn bwyta'**r letys**.	7 The snails are eating **the lettuces**.

taten

tah-ten

corn melys

kohrn meh-lees

moron

mohr-ohn

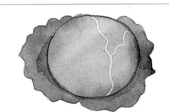

bresychen

brehs-uhkch-ehn

corbwmpen

cohr-boomp-ehn

planhigyn wy

plan-heeg-een ooee

tomato

tomato

letysen

let-ees-ehn

seleri

celery

Yn y goedwig - In the woods

1	Mae gan **y cadno/y llwynog** gynffon hir.	1	**The fox** has a long tail.
2	Mae'r **wiwer** ar y gangen.	2	**The squirrel** is on the branch.
3	Mae'r **carw**'n bwyta dail.	3	**The deer** is eating leaves.
4	Ble mae'r **arth frown**?	4	Where is **the brown bear**?
5	Mae'r **gwningen** yn rhedeg i'w thwll.	5	**The rabbit** runs into its burrow.
6	Mae llawer o **ieir bach yr haf**.	6	There are lots of **butterflies**.
7	Mae'r **chwilod** yn ddu.	7	**The beetles** are black.
8	Mae'r **lindysyn** ar y ddeilen.	8	**The caterpillar** is on the leaf.
9	Mae'r **pryfed** yn boendod!	9	**The flies** are annoying!

y cadno / y llwynog

uh cad-no / uh llooeen-ohg

y wiwer

uh wee-wehr

y carw

uh car-oo

yr arth frown

uhr ahrth vrohoon

y gwningen

uh goon-eeng-ehn

yr iâr fach yr haf

uhr eeahr vahkh uhr hahv

y chwilen

uh khooeel-ehn

y lindysyn

uh leend-us-een

y pryfyn

uh pruhv-een

Cwestiynau - Questions

1 **Pwy** yw'r dyn yna?	1 **Who** is that man?
2 **Beth** yw hwnna?	2 **What**'s that?
3 **Pryd** rydych chi'n cau?	3 **When** do you shut?
4 **Ble** mae fy sbectol?	4 **Where** are my glasses?
5 **Pam** mae e'n chwerthin?	5 **Why** is he laughing?
6 **Sut** rwyt ti'n dweud 'ci'?	6 **How** do you say 'dog'?
7 **Faint** mae'n ei gostio?	7 **How much** does it cost?
8 **Sawl** anifail sydd ganddo fe?	8 **How many** animals does he have?
9 **Ga'i** eich helpu chi?	9 **Can I** help you?

pwy?
pooee?

beth?
behth?

pryd?
preed

ble?
bleh?

pam?
pahm?

sut?
sit?

faint?
vaheent?

sawl?
sahool

ga'i?
gah ee?

Word list * indicates a feminine noun / form

Fy nhŷ p.2 — My house
Ystafelloedd y tŷ — Rooms of the house

*cegin – y gegin	kitchen
*gardd – yr ardd	garden
grisiau – y grisiau	stairs
*lolfa – y lolfa	lounge
nenfwd – y nenfwd	ceiling
toiled – y toiled	toilet
to – y to	roof
*yr ystafell ymolchi	bathroom
*yr ystafell wely	bedroom

Yn ystod yr wythnos p.4 — During the week
Dyddiau'r wythnos — Days of the week

dydd Llun	Monday
dydd Mawrth	Tuesday
dydd Mercher	Wednesday
dydd Iau	Thursday
dydd Gwener	Friday
dydd Sadwrn	Saturday
dydd Sul	Sunday
heddiw	today
yfory	tomorrow

Ymweld â ffrind p.6 — Visiting a friend
Ymadroddion defnyddiol — Useful expressions

diolch	thanks
dyma ti	here you are
helô	hello
hwyl fawr	goodbye
mae'n ddrwg gen i / sorri	sorry
nac ydw	no (I'm not / I don't)
os gwelwch yn dda / plis	please
popeth yn iawn	that's okay
ydw	yes (I am / I do)

Yn y parc p.8 — In the park
Y parc — The park

bachgen – y bachgen	boy
barcut – y barcut	kite
llwybr – y llwybr	path
llyn – y llyn	lake
*mainc – y fainc	bench
*merch – y ferch	girl
plentyn – y plentyn	child
si-so – y si-so	see-saw
*siglen – y siglen	swing

Beth am chwarae? p.10 — Let's play!
Chwaraeon — Sports

athletau	athletics
beicio	cycling
gymnasteg	gymnastics
nofio	swimming
*pêl-droed	football
*pêl-fasged	basketball
pysgota	fishing
sgio	skiing
tennis bwrdd	table tennis

Yn y dref p.12 — In the town
Y dref — The town

*archfarchnad – yr archfarchnad	supermarket
*ffatri – y ffatri	factory
*gorsaf – yr orsaf	station
*marchnad – y farchnad	market
*sinema – y sinema	cinema
*siop – y siop	shop
*swyddfa'r post	post office
tŷ – y tŷ	house
*ysgol – yr ysgol	school

Yn yr archfarchnad p.14 — At the supermarket
Yr archfarchnad — The supermarket

bara – y bara	bread
cig – y cig	meat
llaeth/llefrith – y llaeth	milk
menyn – y menyn	butter
pasta – y pasta	pasta
pysgod – y pysgod	fish
reis – y reis	rice
siwgr – y siwgr	sugar
wy – yr wy	egg

Prynu ffrwythau p.16 — Buying fruit
Ffrwythau — Fruit

afal – yr afal	apple
*banana – y fanana	banana
*ceiriosen – y geiriosen	cherry
*eirinen wlanog – yr eirinen wlanog	peach
grawnwin – y grawnwin	grapes
mango – y mango	mango
*mefusen – y fefusen	strawberry
oren – yr oren	orange
pinafal – y pinafal	pineapple

Siopa dillad p.18 — Shopping for clothes
Ansoddeiriau — Adjectives

bach / *fach	small
byr / *fyr/fer	short
da / *dda	good
drud / *ddrud	expensive
hapus	happy
hardd	pretty
hir	long
mawr / *fawr	big
trist / *drist	sad

Sut mae'r tywydd? p.20 — What's the weather like?
Tywydd — Weather

cwmwl – y cwmwl	cloud
gwynt – y gwynt	wind
haul – yr haul	sun
mae hi'n boeth	it's hot
mae hi'n bwrw glaw	it's raining
mae hi'n bwrw eira	it's snowing
mae hi'n oer	it's cold
niwl – y niwl	fog
*storm – y storm	storm

Y flwyddyn p.22 — The year
Y gwanwyn a'r haf — Spring and summer

gwanwyn – y gwanwyn	spring
(mis) Mawrth	March
(mis) Ebrill	April
(mis) Mai	May
haf – yr haf	summer
(mis) Mehefin	June
(mis) Gorffennaf	July
(mis) Awst	August
tymor – y tymor	season

Y flwyddyn p.24 — The year
Yr hydref a'r gaeaf — Autumn and winter

hydref – yr hydref	autumn
(mis) Medi	September
(mis) Hydref	October
(mis) Tachwedd	November
gaeaf – y gaeaf	winter
(mis) Rhagfyr	December
(mis) Ionawr	January
(mis) Chwefror	February
mis – y mis	month

Tyfu llysiau p.26 — Growing vegetables
Llysiau — Vegetables

*bresychen – y fresychen	cabbage
corn melys – y corn melys	sweetcorn
*corbwmpen – y gorbwmpen	courgette
*letysen – y letysen	lettuce
*moronen – y foronen	carrot
planhigyn wy – y planhigyn wy	aubergine
seleri – y seleri	celery
*taten – y daten	potato
tomato – y tomato	tomato

Yn y goedwig p.28 — In the woods
Anifeiliaid a phryfed — Animals and insects

*arth frown – yr arth frown	brown bear
cadno – y cadno (S.W.), llwynog – y llwynog (N.W.)	fox
carw – y carw	deer
*cwningen – y gwningen	rabbit
*chwilen – y chwilen	beetle
*gwiwer – y wiwer	squirrel
*iâr fach yr haf – yr iâr fach yr haf	butterfly
lindysyn – y lindysyn	caterpillar
pryfyn – y pryfyn	fly

Cwestiynau p.30 — Questions
Cwestiynau — Questions

beth?	what?
ble?	where?
faint?	how much?
ga'i?	can I?
pam?	why?
pryd?	when?
pwy?	who?
sawl?	how many?
sut?	how?